Marc Cantin

Sébastien Pelon

An Béirín Dána

LEABHAR
BREAC

÷ Á' HA ∩IATH THE∕

A⊏

An Béirín
Dána

Ar an gclúdach cúil tugtar míniú ar na focail a bhfuil an comhartha * orthu.

Aistriúchán: Séamas Ó Scolaí
© Pére Castor Editions Flammarion 2010
Aistriúchán Gaeilge © Leabhar Breac 2017

www.leabharbreac.com

An Chomhairle um Oideachas
Gaeltachta & Gaelscolaíochta

Tugann An Chomhairle um Oideachas Gaeltachta & Gaelscolaíochta tacaíocht airgid do Leabhar Breac

Foras na Gaeilge

Tugann Foras na Gaeilge tacaíocht airgid do Leabhar Breac

Tugann An Chomhairle Ealaíon tacaíocht airgid do Leabhar Breac

ISBN: 978-1-911363-01-9

Caibidil 1

Calú

Bhí an geimhreadh tagtha.

Bhí na chéad chalóga sneachta ag greamú de ghéaga na gcrann agus bhí an fhoraois á clúdach le sneachta. Bhí gach rud bán.

Bhí sé in am do Mhamaí Béar agus dá béirín Calú dul go dtí a bpluais. Bheidís in ann codladh ansin ar feadh an gheimhridh.

Bhí Mamaí Béar ag méanfach cheana féin. Rinne sí liathróid mhór di féin, agus ní dhearna sí dearmad ar spás teolaí a fhágáil idir a cosa dá béirín beag.

'Ach níl tuirse orm,' arsa an béirín.

'Ní bheidh aon argóint ann faoi,' arsa Mamaí Béar. 'Tar a chodladh!'

Luigh Calú síos in éineacht léi agus lig sé air féin go raibh sé ina chodladh, ach ní raibh a shúile ach leathdhúnta.

Cúig nóiméad ina dhiaidh sin bhí a mhamaí ag srannadh mar a bheadh stoirm thoirní ann! Ansin, go mall, ciúin, d'éalaigh Calú amach go béal na pluaise. Chuir an radharc iontas air. Bhí an tír ar fad bán.

In áit codladh in aice lena mháthair, shleamhnaigh Calú an béirín amach as an bpluais agus d'imigh sé ag siúl leis féin.

Caibidil 2

Lorg Cos sa Sneachta

'A Níotú! Gabh i leith! Tá sé ag éirí dorcha!' arsa Fataí. 'Caithfimid dul abhaile.'

Ó thit na chéad chalóga sin, bhí sé socraithe ag na hIndiaigh tótam sneachta a dhéanamh in aice na foraoise. Ach éiríonn sé dorcha go luath sa gheimhreadh, agus bhí sé in am dul abhaile. Bhí Fataí agus Navó réidh cheana féin.

'Táim ag teacht!' arsa Níotú. 'Fanaigí!'

Ar imeall na foraoise, bhí liathróid

ollmhór sneachta á brú roimhe ag Níotú.
Theastaigh uaidh an tótam a chríochnú
sula n-imeodh sé. Ach, in áit deifir a
dhéanamh, stop sé go tobann.

'Breathnaigh! Tá lorg* cos anseo!'

'Ná bí ag cumadh scéalta,' arsa Fataí.
'Caithfimid imeacht. Beidh Mamaí agus
Daidí ar buile liom má bhím déanach
ag teacht abhaile.'

'Agus ní bheidh cead againn an campa
a fhágáil ar chor ar bith amárach,' arsa
Navó.

'Lorg bhéirín atá ann, agus é ag siúl
ar a cheithre chos,' arsa Níotú. 'Nach
bhfuil sé sin aisteach? Ba cheart dó bheith
ina chodladh sa gheimhreadh. B'fhéidir
go bhfuil sé ag iarraidh cúnaimh.'

Níor mhaith le Fataí agus Navó imeacht agus a gcara a fhágáil ina ndiaidh. B'fhearr leo dul abhaile le chéile.

'Ná bacaigí leis,' arsa guth. 'Rithfidh an cladhaire sin in bhur ndiaidh chomh luath agus a bhogfaidh sibh as seo.'

Léim Seogan amach as taobh thiar

de chrann. Bhí sé ag faire ar Níotú agus a chairde agus é ag smaoineamh ar chleas a imirt orthu.

'Níl aon fhaitíos ormsa fanacht anseo i m'aonar,' arsa Níotú. 'Tabhair aire do do ghnó féin, tusa!'

'Há! Tá tú ag crith cheana féin,' arsa Seogan. 'Tagaigí, sibhse, ar ais liomsa go dtí an campa agus fágaigí an cladhaire sin anseo.'

'Ná héistigí le Seogan,' arsa Níotú. 'Caithfimid an lorg seo a leanúint!'

Faraor! Shocraigh Fataí agus Navó ar dhul abhaile in éineacht le Seogan. Níor mhaith leo go gcuirfí pionós orthu. Bhí a fhios acu go raibh Níotú bródúil ceanndána, ach chreid siad go dtiocfadh sé ina ndiaidh.

'Bíodh agaibh!' ar seisean leo. 'Imigí libh, mar sin!'

Bhí a chuid cairde ag imeacht uaidh, ach bhí sé féin ag dul níos doimhne isteach san fhoraois. Bhí lorg na gcos an-soiléir sa sneachta. Bhí Níotú cinnte go dtiocfadh sé suas leis an mbéirín gan mhoill agus go mbeadh sé féin sa bhaile roimh thitim na hoíche....

Fad is atá Fataí agus Navó ag filleadh ar an gcampa, tá Níotú sa tóir ar an mbéirín.

Béar Óg ... Nach é a Bheadh Blasta!

Shiúil Níotú idir na crainn, é cromtha síos agus a shrón gar don talamh.

'Níor cheart duit dul rófhada i d'aonar,' arsa ulchabhán* leis. 'Ní cara le páistí í an oíche.'

'Éist!' arsa Níotú. 'Is gaiscíoch de chuid na dTípíonna Beaga mé. Tá mé ag cuardach béirín atá imithe ar strae.'

'Húú … húú…. Tá a fhios agamsa cá bhfuil sé!' arsa an t-ulchabhán.

'Go hiontach!' arsa Níotú. 'Treoraigh mé go dtí é.'

'Tá droch-chomhluadar aige,' arsa an t-éan.

'Ná cuirimis aon am amú, mar sin. Seo linn,' arsa Níotú.

D'imigh an t-ulchabhán ag eitilt, agus Níotú á leanúint. Thug sé faoi deara go raibh loirg eile measctha le loirg an bhéirín … agus chuala sé dranntán scanrúil agus glamaíl* uaigneach.

'Dúirt mé leat é,' arsa an t-éan. 'Tá droch-chomhluadar aige.'

'Na mic tíre….' arsa an tIndiach beag go ciúin.

'Tá ocras orthu,' arsa an t-ulchabhán, 'agus tá siad ag réiteach le féasta a dhéanamh den bhéirín amaideach a d'fhág a phluais!'

Bhí sé ag éirí níos dorcha. Bhí Níotú ag dul ar aghaidh go ciúin agus chonaic sé Calú i bhfad uaidh: bhí an béirín tar éis dreapadh suas i gcrann agus bhí na mic tíre bailithe thíos faoi. Chuaigh an tIndiach beag i bhfolach taobh thiar de charraig.

'Úf!' ar sé. 'Ní bheidh siad in ann breith air.'

'Seafóid!' arsa an t-ulchabhán agus é ag teacht anuas ar ghualainn Níotú. 'Tá na mic tíre glic.'

B'fhíor don éan. Bhí an béirín ina

sheasamh ar ghéag agus bhí sé ag cuimilt a shúl. Bhí tuirse air, mar gur chóir dó a bheith ina chodladh lena mháthar faoi seo. Bhí na mic tíre bailithe ag bun an chrainn chun suantraí a chanadh agus an béirín a chur a chodladh.

A bhuíochas don ulchabhán, tá Níotú tar éis teacht ar an mbéirín — ach tá an béirín bocht timpeallaithe ag mic tíre ocracha.

Caibidil 4

Ag Troid leis na Mic Tíre!

'Auuuuuú … auuuuuú … auuuuuuuú!' Lean na mic tíre ag crónán go ciúin binn. Agus bhí súile Chalú bhoicht ag dúnadh is ag dúnadh is ag dúnadh.…

Bhí an béirín ag scaoileadh dá ghreim ar an ngéag.

'Inseoidh mé é seo do mo dhaidí,' arsa Níotú faoina anáil.

'Ní bheidh an t-am agat,' arsa an t-ulchabhán agus é ag ardú a sciathán. 'Beidh an béirín ite ag na mic tíre sula mbeidh tú ar ais le cúnamh.'

'Is fíor don éan é,' arsa Níotú leis féin, agus thosaigh sé ag smaoineamh …

agus ba ghearr gur tháinig meangadh ar a bhéal: 'Gabh suas ansin agus seas in aice leis an mbéirín!'

'Cé? Mise?' arsa an t-ulchabhán, agus uafás air.

'Sea! Agus tosaigh ag glaoch chomh hard agus is féidir leat, agus coinneoidh tú an béirín ina dhúiseacht.'

'A…. Ach …!'

'Déan deifir! Nó inseoidh mé dá mháthair nach ndearna tú aon rud chun é a shábháil, agus cloisfidh tú faoi ansin!' arsa Níotú.

'Tá go maith,' arsa an t-ulchabhán go míshásta, agus é ag eitilt leis.

Bhí Calú sáraithe le tuirse agus é réidh le titim. Thíos faoi, bhí na mic tíre ag fanacht agus a gcuid fiacla géara nochta acu ... nuair. ...

'Houúúúúú! Houúúúúú!' a ghlaoigh an t-ulchabhán agus é ag tuirlingt ar an ngéag.

Dhúisigh an béirín de léim agus rug greim ceart daingean ar an ngéag.

'Go díreach in am!' arsa Níotú agus é taobh thiar de charraig mhór. 'Anois, is fúmsa atá sé!'

Coinníonn béiceanna an ulchabháin Calú ina dhúiseacht, ach cá fhad go dtitfidh sé ina chodladh arís?

Caibidil 5

Sa Phluais

Fad a bhí an t-ulchabhán ag coinneáil an bhéirín ina dhúiseacht, bhí Níotú imithe ag iarraidh cúnaimh. Bhí an ghrian beagnach imithe faoi. Bhí sé ag éirí dorcha san fhoraois agus an tIndiach beag ag rith trí na crainn.

Ba ghearr gur tháinig Níotú go dtí an áit a raibh an tótam sneachta.

'Má théim ar ais go dtí an campa, tá seans ann nach gcreidfidh siad mé,' ar sé leis féin. 'Beidh seanóirí na treibhe ag argóint faoi cé acu ar cheart na gaiscígh a chur isteach san fhoraois san oíche chun é a shábháil nó nár cheart.'

Mar sin, le solas deiridh an lae, lean Níotú an lorg a d'fhág Calú sa sneachta, ach é ag dul sa treo eile. Ba ghearr go bhfaca sé an phluais.

'Seo í an áit as ar tháinig Calú!' arsa Níotú, agus gliondar air.

Agus a chroí ag bualadh go tréan, chuaigh sé go béal na pluaise. Bhí sé níos dorcha ná an fhoraois, agus bhí srannadh uafásach le cloisteáil ann.

Chuaigh Níotú isteach go cúramach.

'A Mhamaí Béar!' ar sé. 'A Mhamaí Béar!'

Ní mholtar béar a dhúiseacht. Tá sé sin ar eolas ag gach uile dhuine! Ní maith le béar ar bith go ndúiseofaí é.

'A Mhamaí Bé….'

'RRÓÓÓÓÓÓÓÓÓÓÓÓÓÓÓÓÓÓ!'

Léim rud éigin ollmhór ar an Indiach óg. Bhuail dhá chos mhóra guaillí Níotú agus leagadh go talamh é. D'oscail béal mór gránna gar dá shrón.

'CÉ A THUG CEAD DUITSE TEACHT ISTEACH ANSEO?' arsa an béar de ghnúsacht.

'Ná maraigh mé!' arsa Níota go himpíoch. 'Do mhac … do bhéirín … tá sé i gcontúirt!'

Tá Níota tagtha go dtí an phluais ina bhfuil mamaí Chalú ina codladh, ach níl sise róshásta nuair a dhúisítear í.

Calú ina Chodladh

Bhí fearg ar na mic tíre. Cén chaoi a raibh an t-éan bréan sin in ann béile chomh breá sin a choinneáil uathu?

'Ach ní fhanfaidh sé rófhada eile ag glaoch,' arsa a gceannaire.

Ní raibh cleachtadh ag an éan ar ghlaoch chomh hard ná chomh fada sin, go háirithe sa gheimhreadh. Thosaigh sé ag casacht agus d'éirigh a ghuth níos laige, agus níos laige. Dhún an béirín a shúile agus thosaigh na mic tíre ar a suantraí arís….

'Habhaoúú' arsa an t-ulchabhán go lagbhríoch.

'Abhúúúúú … aúúúú,' arsa na mic tíre le chéile.

Bhí Calú ag luascadh anonn is anall,

é buailte ag an tuirse. Ba ghearr go dtitfeadh sé....

'Ionsaigh!' a bhéic Níotú.

Ina shuí ar scaradh gabhail* ar dhroim an bhéir dó, thug sé ruathair faoi na mic tíre. Ba mhaith a rinne mamaí Chalú nuair a d'éist sí leis an Indiach óg. Agus, a bhuíochas sin do Níotú, bhí sí in ann a béirín a shábháil.

'RRÓÓÓÓÓÓÓÓÓÓÓ!' ar sí, agus
í ag búiríl chomh hard le toirneach.

Le cúpla buile dá cos, ruaig an béar
fíochmhar na mic tíre shantacha, agus
d'éalaigh siad leo chomh sciobtha agus
a bhí ina gcosa ar ais go lár na foraoise.

'Murach thú,' arsa an t-ulchabhán de
ghuth lag, 'bheadh muid ite acu!

'A Mhamaí!' arsa Calú, agus é á ligean féin anuas den ghéag.

'Cén sórt amadáin thú?' arsa a mhamaí go crosta. 'Murach gur tháinig Níotú chugam, bheifeá ite ag na mic tíre!'

'Chabhraigh mise freisin, beagán,' arsa an t-ulchabhán.

Chrom Calú a cheann. 'Tá brón orm, a Mhamaí. Ní dhéanfaidh mé arís é.'

'Ó, a dhiabhail, tá an oíche ag titim,' arsa Níota agus faitíos air. 'Ba cheart dom bheith sa bhaile anois! Beidh mo thuismitheoirí buartha fúm.'

'Más mar sin é,' arsa an mamaí béar, 'caithfidh mise cabhrú leatsa anois!'

Tagann Níotú agus an béar díreach in am chun na mic tíre a ruaigeadh agus Calú a shábháil. Ach caithfidh Níota dul abhaile....

Caibidil 7

Filleadh ar an gCampa

Bhí cuma ghruama ar Chleite-Mór-Iolair-a-Eitlíonn-sa-Spéir-Ghorm. Bhí sé an-fheargach. 'Tá an oíche tite agus níl mo mhac ar ais go fóill.'

'Táim cinnte go mbeidh sé anseo gan mhoill,' arsa Fataí. 'Bhí sé ag iarraidh cabhrú le béar....'

'Le béar? Sa gheimhreadh?' arsa taoiseach na dTípíonna Beaga. 'Seafóid!'

'Dúirt mé leis teacht ar ais,' arsa Seogan, 'ach níor thug sé aon aird orm.'

Ní raibh deis ag Fataí ná Navó aon rud a rá mar … bhí cruth aisteach le feiceáil ag teacht i dtreo an champa. D'ardaigh na gaiscígh a gcuid boghanna ar an bpointe.

'Ná scaoiligí!' arsa guth.

'Níotú atá ann!' arsa Fataí.

Bhí Níotú le feiceáil le solas na dtinte a shoilsigh an campa agus é ag marcaíocht ar muin béir.*

Agus bhí béirín ina chodladh ina bhaclainn aige!

'Tá brón orm go bhfuil mé déanach,'

arsa Níotú, agus é ag sleamhnú anuas den bhéar.

Shín Níotú Calú chuig an mamaí béar agus chuaigh sé anonn go dtí a athair. Ar an bpointe sin, thuirling ulchabhán ar a chloigeann.

'B'éigean dom béirín a shábháil ó mhic tíre a bhí ag iarraidh é a ithe,' arsa Níotú.

'Ná bíodh aon amhras ort, a mhór-thaoisigh,' arsa an t-ulchabhán. 'Bhí mise ann agus chonaic mé é.'

Bhí na hIndiaigh go léir ag breathnú ar Níotú agus ar an ulchabhán.

'An gcu … gcuirfidh tú pionós orm, a Dhaidí?'

'Cuirfidh! Caithfear pionós a chur air!' arsa Seogan.

Smaoinigh taoiseach na dTípíonna Beaga ar feadh nóiméid agus dúirt: 'Tá leithscéalta maithe ann agus tá droch-leithscéalta ann, ach is mó de leithscéal maith ná de dhroch-leithscéal é sin agus … ar choinníoll go n-inseoidh tú dúinn, go cruinn ar ndóigh, an scéal áiféiseach seo ar fad, ní chuirfear pionós ort!'

'Déanfaidh mé sin, agus fáilte,' arsa Níotú.

'Anois, isteach libh go léir i mo thípí,' arsa an taoiseach go bródúil. 'Inseoidh mo mhac dúinn faoin gcaoi ar ruaig sé na mic tíre!'

Ní raibh clamhsán Sheogain le cloisteáil leis an ngáire a rinne Navó agus Fataí. Rith na hIndiaigh go dtí típí an taoisigh, ar fhaitíos nach mbeadh spás ann dóibh go léir. Go deimhin, ní raibh spás ar bith ann ar chor ar bith mar, fad a bhí na Típíonna Beaga ag plé na ceiste, shleamhnaigh an béar agus a béirín isteach sa típí agus thit siad ina gcodladh ann!

'Táim ag ceapadh gurbh fhearr gan iad a dhúiseacht,' arsa Níotú i gcogar.

'Agus mo thípí?' arsa an taoiseach.

'Tógfaimid ceann nua duit amárach,' arsa Níotú.

Thosaigh an t-ulchabhán, agus é fós ina shuí ar chloigeann Níotú, ag sciotaíl faoina sciathán. Ansin phléasc na hIndiaigh ar fad amach ag gáire agus bhailigh siad timpeall ar an tine mhór nach raibh an sneachta féin in ann a mhúchadh.

Gluais

Na hIndiaigh Dhearga — an t-ainm a thug Eorpaigh ar phobal dúchasach Mheiriceá.

Treibh — Teaghlaigh Indiacha a bhfuil gaol acu le chéile. Maireann siad le chéile agus déanann siad seilg le chéile.

Taoiseach — Ceannaire na treibhe.

Típí — Puball déanta as craicne ainmhithe. Is ann a bhíonn na hIndiaigh ina gcónaí.

Gaiscíoch — Sealgaire agus trodaí óg láidir. Bíonn sé ag seilg ar son na treibhe.